구슬

이건 구슬이야.

책 발자국 Level 1

구슬

글 김미혜 그림 차선희

교육공동체벗

선생님과 학부모님께

이 그림책은 초기 문해력 교육을 위한 수준 평정 그림책입니다.
아이의 읽기 행동을 관찰하고 기록한 결과를 바탕으로 아이의 눈높이에 맞는
책을 골라 주세요. 아이 스스로 책을 선택할 수 있게 해 주시면 더 좋아요.
그리고 가정과 학교에서 아이와 함께 안내된 읽기를 해 주세요.
이 책에는 한글의 일곱 번째 모음 'ㅜ'가 들어간 '구슬'이라는 낱말이
반복해서 나옵니다. '우리', '구슬치기하다', '구멍'에도 'ㅜ'가 들어 있어요.
책을 읽기 전에, 또는 읽으면서 구슬을 가지고 놀아 본 경험이 있는지,
구슬치기는 어떻게 하는 것인지 아이와 이야기를 나눠 보세요.
아이가 구슬치기를 해 본 적이 없다면, 책을 읽고 난 후에 구슬을 가지고
놀 수 있게 해 주세요. 아이와 함께 구슬을 가지고 할 수 있는 놀이를
더 찾아보고 놀이 방법을 문장으로 표현해 봐도 좋습니다.

구슬이 많이 있어.

우리 구슬치기하자.

구슬로 구슬을 맞혀 봐.

구멍에 구슬을 넣어 봐.

우리 구슬치기하자.

이 책은 _____ 의 것입니다.

구슬

ⓒ 김미혜, 차선희, 2025

2025년 11월 3일 처음 펴냄

글쓴이 김미혜 | **그린이** 차선희 | **편집** 이진주 | **디자인** 더디앤씨 | **인쇄** 보명C&I | **제작** 세종PNP
펴낸이 김기언 | **펴낸곳** 교육공동체 벗 | **이사장** 오정오 | **사무국** 최승훈, 설원민, 공현
출판등록 제2011-000022호(2011년 1월 14일) | **주소** (03998) 서울시 마포구 월드컵북로7길 76-12 102호
전화 02-332-0712 | **전송** 0505-115-0712 | **홈페이지** communebut.com

ISBN 978-89-202-7 67700
ISBN 978-89-195-2(세트)

구슬	BFL	1
	어절 수	17

값 2,300원

사용 연령
6세 이상

ISBN 978-89-6880-202-7
ISBN 978-89-6880-195-2(세트)